하루 한

교과
연산

P1

7세~초1 모으기와 가르기

변화를 정확히 이해해야 합니다.

수학의 기본이면서 이제는 필수가 된 연산 학습, 그런데 왜 우리 아이들은 많은 학습지를 풀고도 학교에 가면 연산 문제를 해결하지 못할까요?

지금 우리 아이들이 학습하는 교과서는 과거와는 많이 다릅니다. 단순 계산력을 확인하는 문제 대신 다양한 상황을 제시하고 상황에 맞게 문제를 해결하는 과정을 평가합니다. 그래서 단순히 계산하여 답을 내는 것보다 문장을 이해하고 상황을 판단하여 스스로 식을 세우고 문제를 해결하는 복합적인 사고 과정이 필요합니다.

그림을 보고 상황을 판단하는 능력, 그림을 보고 상황을 말로 표현하는 능력, 문장을 이해하는 능력 등 상황 판단 능력을 길러야 하는 이유입니다.

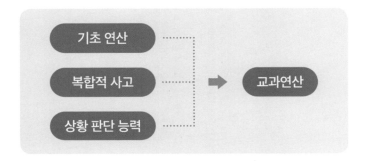

연산 원리를 학습함에 있어서도 대표적인 하나의 풀이 방법을 공식처럼 외우기만 해서는 지금의 연산 문제를 해결하기 어렵습니다. 연산 학습과 함께 다양한 방법으로 수를 분해하고 결합하는 과정, 즉 수 자체에 대한 학습도 병행되어야 합니다.

교과연산은 연산 학습과 함께 수 자체를 온전히 학습할 수 있도록 단계마다 '수특강'을 구성하고 있습니다.

계산은 문제를 해결하는 하나의 과정으로서의 의미가 큽니다.

학교에서 배우게 될 내용과 직접적으로 관련이 있는 교과연산으로 가장 먼저 시작하기를 추천드립니다.

요즘 연산은 교과 연산입니다.

"계산은 그 자체가 목적이 아닙니다. 문제를 해결하는 하나의 과정입니다."

하루 **한** 장, **75일**에 완성하는 **교과연산**

한 단계는 총 4권으로 수를 학습하는 0권과 연산을 학습하는 1권, 2권, 3권으로 구성되어 있습니다.

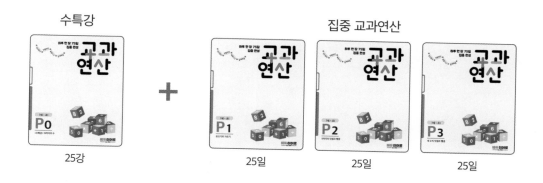

수특강
25강

집중 교과연산
P1 25일   P2 25일   P3 25일

수특강

수 영역은 연산과 뗄래야 뗄 수 없습니다. 수 영역을 제대로 학습하지 않고 연산만 한다면 연산 원리를 이해하는 데 부족함이 있습니다.
교과연산은 연산 학습을 하면서 반드시 필요한 수 영역을 수특강으로 해결합니다.

교과연산

기초 연산도 합니다. 연산 원리를 이해하고 계산 연습도 합니다. 그에 더해서 교과연산은 다양한 상황 문제를 제시하여 상황에 맞는 식을 세우고 문제를 해결하는 상황 판단 능력을 길러줍니다.

"연산을 이해하기 위해서는 수를 먼저 이해해야 합니다."

원리는 기본, 복합적 사고 문제까지 다루는 교과연산

원리
수와 연산의 원리를
이해하고 연습합니다.

복합적 사고
연산 원리를 이용하여
다양한 소재의 복합적
문제를 해결합니다.

상황 판단 문제
문장 이해력을 기르고
상황에 맞는 식을 세워
문제를 해결합니다.

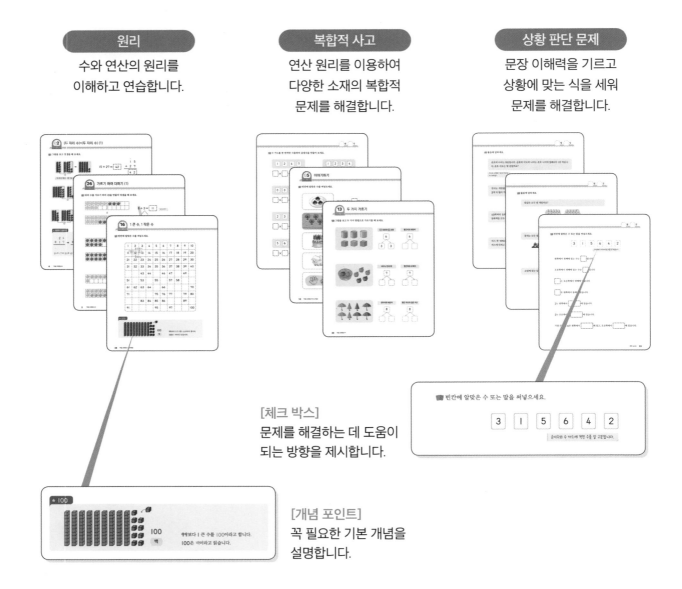

[체크 박스]
문제를 해결하는 데 도움이
되는 방향을 제시합니다.

[개념 포인트]
꼭 필요한 기본 개념을
설명합니다.

"교과연산은 꼬이고 꼬인 어려운 연산이 아닙니다.
일상 생활 속에서 상황을 판단하는 능력을 길러주는 연산입니다."

하루 **한** 장, 75일 집중 완성 교과연산 **묻고 답하기** Q & A

Q1 왜 교과연산인가요?

지금의 교과서는 과거의 교과서와는 많이 다릅니다. 하지만 아쉽게도 기존의 연산학습지는 과거의 연산 학습 방법을 그대로 답습하고 변화를 제대로 반영하지 못하고 있습니다. 교과연산은 교과서의 변화를 정확히 이해하고 체계적으로 학습을 할 수 있도록 안내합니다.

Q2 다른 연산 교재와 어떻게 다른가요?

교과연산은 변화된 교과서의 핵심 내용인 상황 판단 능력과 복합적 사고력을 길러주는 최신 연산 프로그램입니다. 또한 연산 학습의 바탕이 되는 '수'를 수특강으로 다루고 있어 수학의 기본이 되는 연산학습을 체계적으로 학습할 수 있습니다.

Q3 학교 진도와는 맞나요?

네, 교과연산은 학교 수업 진도와 최신 개정된 교과 단원에 맞추어 개발하였습니다.

Q4 단계 선택은 어떻게 해야 할까요?

권장 연령의 학습을 추천합니다.
다만, 처음 교과 연산을 시작하는 학생이라면 한 단계 낮추어 시작하는 것도 좋습니다.

Q5 '수특강'을 먼저 해야 하나요?

'수특강'을 가장 먼저 학습하는 것을 권장합니다. P단계를 예로 들어보면 P0(수특강)을 먼저 학습한 후 차례대로 P1~P3 학습을 진행합니다. '수특강'은 각 단계의 연산 원리와 개념을 정확하게 이해하고 상황 문제를 해결하는 데 디딤돌이 되어줄 것입니다.

이 책의 차례

01 그림 모으기 (1)

일

그림을 보고 모으기를 해 보세요.

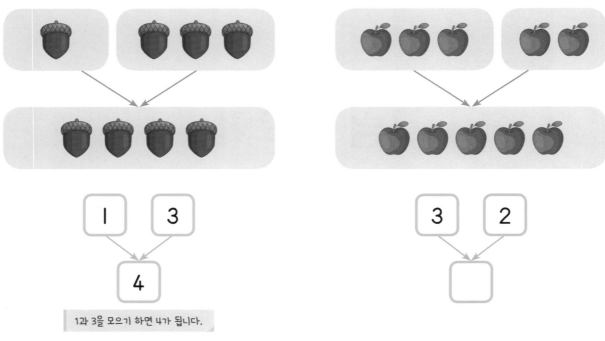

| 1 | 3 |
| 4 |

1과 3을 모으기 하면 4가 됩니다.

| 3 | 2 |

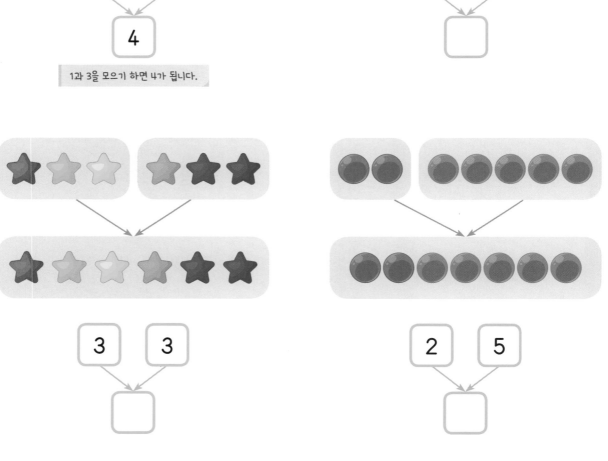

| 3 | 3 |

| 2 | 5 |

그림을 보고 모으기를 해 보세요.

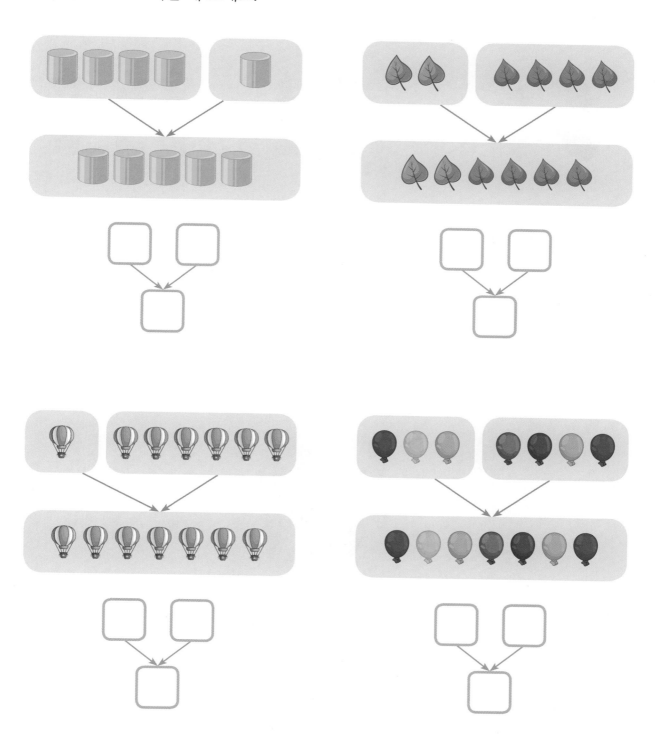

📖 그림을 보고 모으기를 해 보세요.

```
 2    2
   ↓
   4
```

```
 5    □
   ↓
   □
```

```
 4    □
   ↓
   □
```

```
 □    3
   ↓
   □
```

```
 □    4
   ↓
   □
```

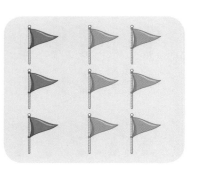

```
 □    6
   ↓
   □
```

그림을 보고 모으기를 해 보세요.

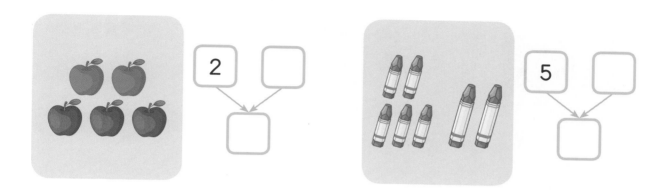

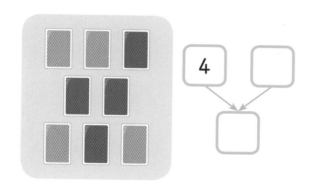

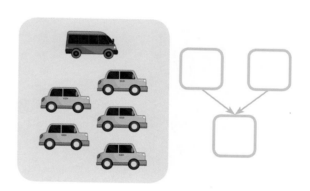

모으기를 해 보세요.

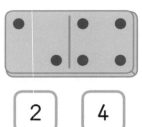

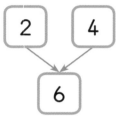

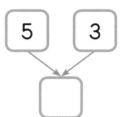

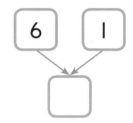

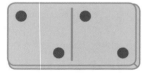

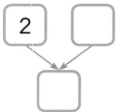

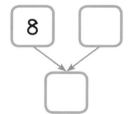

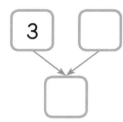

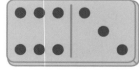

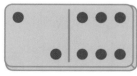

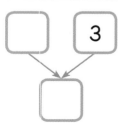

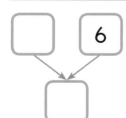

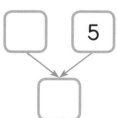

모으기를 해 보세요.

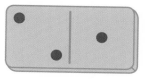

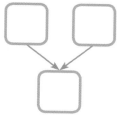

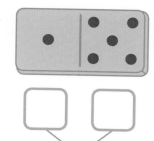

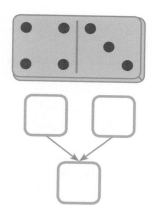

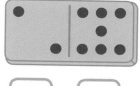

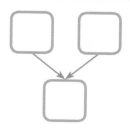

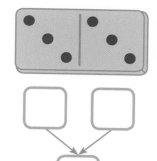

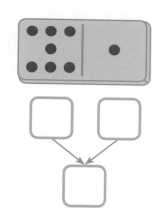

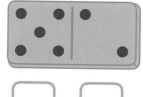

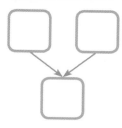

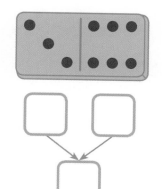

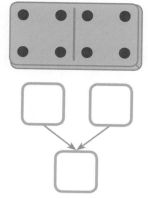

점 모아 수 만들기

📘 점을 모으기 하여 ⬤ 안의 수가 되도록 이어 보세요.

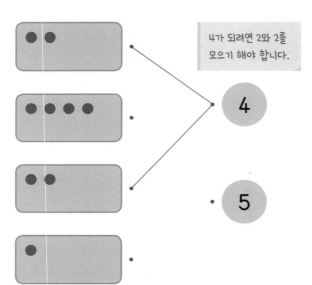

4가 되려면 2와 2를
모으기 해야 합니다.

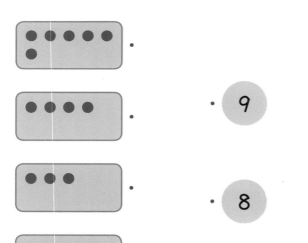

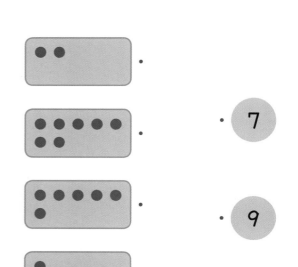

🁢 모으기 하여 🌗 안의 수가 되도록 이어 보세요.

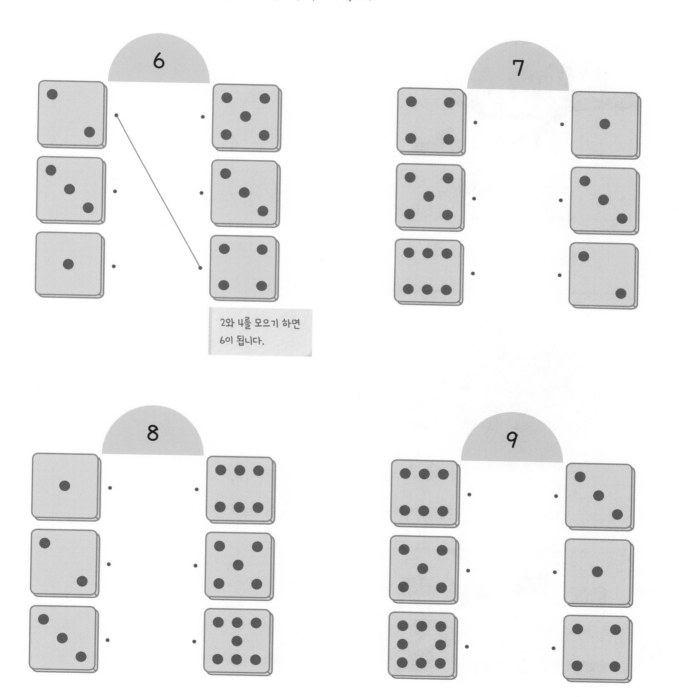

2와 4를 모으기 하면 6이 됩니다.

05 이야기하기

■ 그림을 보고 빈칸에 알맞은 수를 써넣으세요.

나뭇가지에 참새 **4**마리가 있는데 ☐마리

더 날아와서 ☐마리가 되었습니다.

4와 2를 모으기 하면 6이 됩니다.

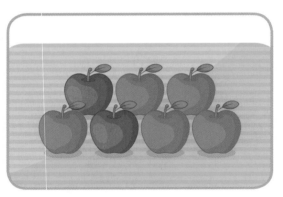

빨간색 사과가 **2**개, 초록색 사과가 ☐개

있어서 사과는 모두 ☐개입니다.

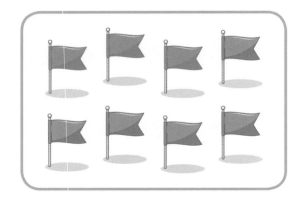

초록색 깃발이 **3**개, 파란색 깃발이 ☐개

있어서 깃발은 모두 ☐개입니다.

🪧 그림을 보고 빈칸에 알맞은 수를 써넣으세요.

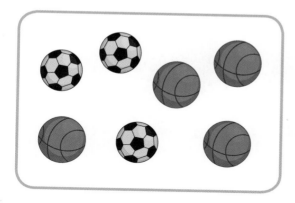

축구공이 ☐ 개, 농구공이 ☐ 개

있어서 공은 모두 ☐ 개입니다.

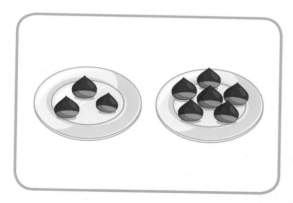

왼쪽 접시에 밤이 ☐ 개, 오른쪽 접시에

밤이 ☐ 개 있어서 밤은 모두 ☐ 개

입니다.

왼손에 펼친 손가락이 ☐ 개,

오른손에 펼친 손가락이 ☐ 개이므로

펼친 손가락은 모두 ☐ 개입니다.

그림을 보고 빈칸에 알맞은 수를 써넣으세요.

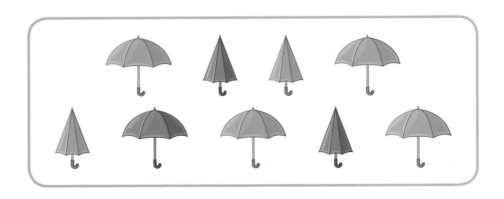

연두색 우산이 ☐ 개, 파란색 우산이 ☐ 개 있어서 우산은 모두 ☐ 개입니다.

펼친 우산이 ☐ 개, 접은 우산이 ☐ 개 있어서 우산은 모두 ☐ 개입니다.

주황색 자동차가 ☐ 대, 파란색 자동차가 ☐ 대이므로 자동차는 모두 ☐ 대입니다.

주차된 자동차가 ☐ 대, 들어오는 자동차가 ☐ 대이므로 자동차는 모두 ☐ 대입니다.

그림 가르기 (1)

🔹 그림을 보고 가르기를 해 보세요.

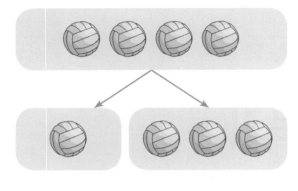

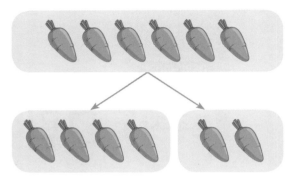

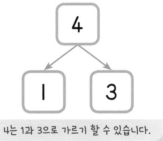

나는 1과 3으로 가르기 할 수 있습니다.

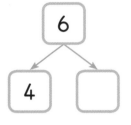

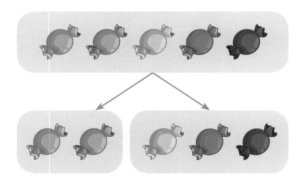

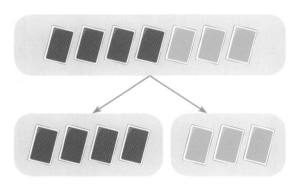

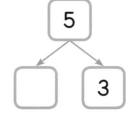

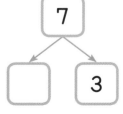

월 일

그림을 보고 가르기를 해 보세요.

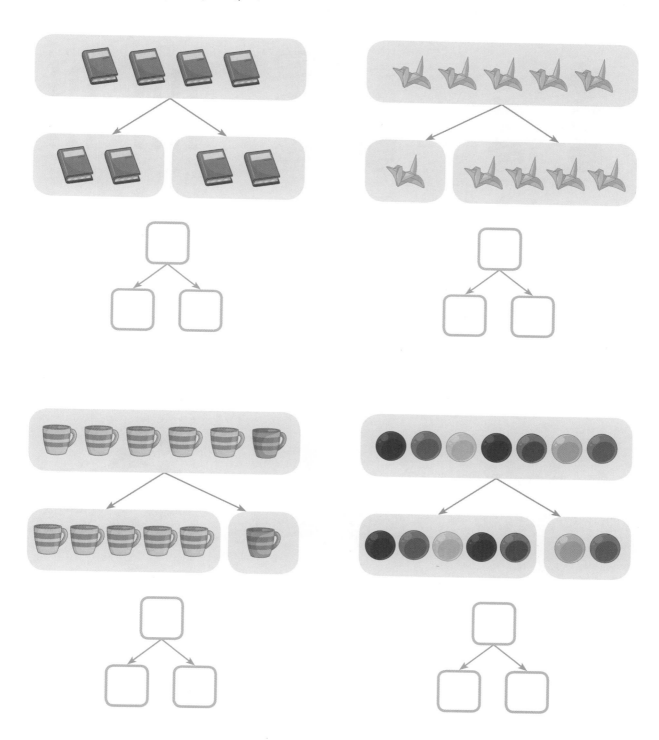

07 그림 가르기 (2)

그림을 보고 가르기를 해 보세요.

5
3   2

4

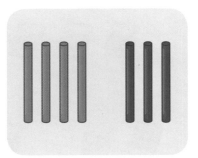

7

6

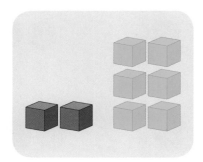

8

9

그림을 보고 가르기를 해 보세요.

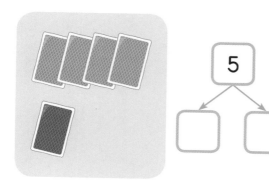

5

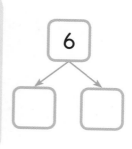

6

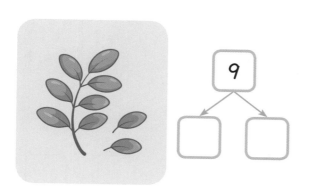

9

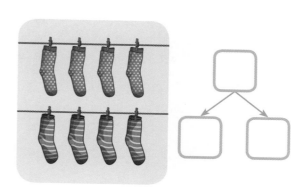

🔖 가르기를 해 보세요.

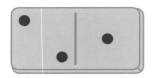

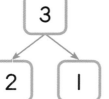

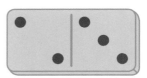

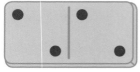

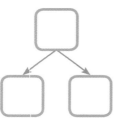

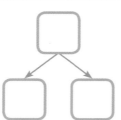

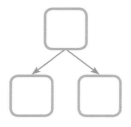

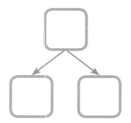

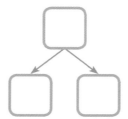

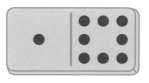

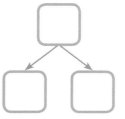

📓 가르기를 해 보세요.

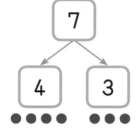

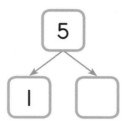

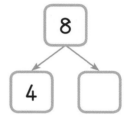

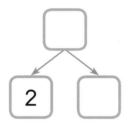

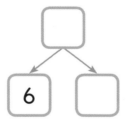

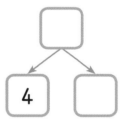

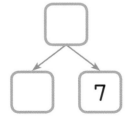

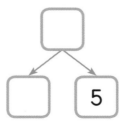

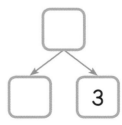

09일 수를 점으로 가르기

⬛🔵 안의 수를 가르기 합니다. 알맞게 이어 보세요.

6은 2와 4로 가르기
할 수 있습니다.

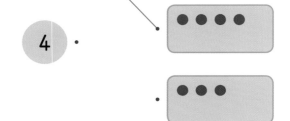

수를 가르기 합니다. 빈 곳에 알맞게 ●을 그려 보세요.

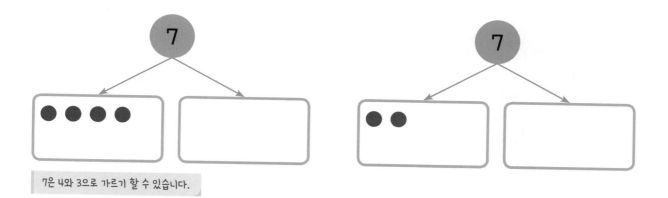

7은 4와 3으로 가르기 할 수 있습니다.

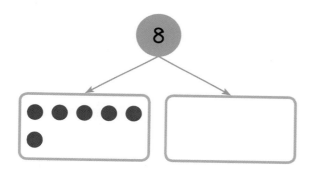

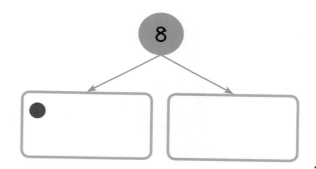

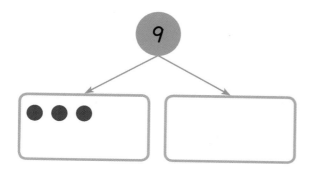

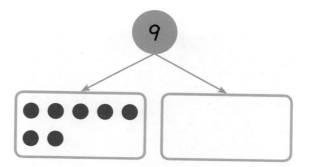

그림을 보고 빈칸에 알맞은 수를 써넣으세요.

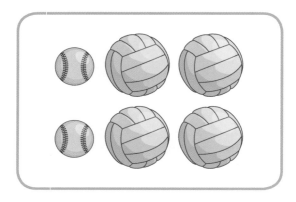

공이 6개 있는데 야구공이 2개이므로

배구공은 ☐개입니다.

6은 2와 4로 가르기 할 수 있습니다.

손가락 5개 중에 펼친 손가락이 ☐개

이므로 접은 손가락은 ☐개입니다.

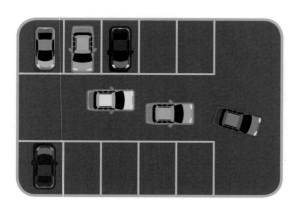

주차장에 자동차가 7대 있었는데 ☐대가

나가서 ☐대 남았습니다.

그림을 보고 빈칸에 알맞은 수를 써넣으세요.

딸기가 ☐ 개 있는데 접시 안에 ☐ 개,

접시 밖에 ☐ 개 있습니다.

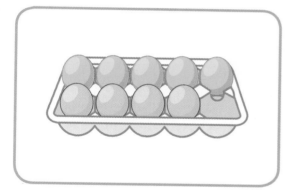

달걀이 ☐ 개 있는데 갈색 달걀이 ☐ 개

이므로 흰색 달걀은 ☐ 개입니다.

풍선이 ☐ 개 있었는데 ☐ 개가

날아가서 ☐ 개 남았습니다.

그림을 보고 빈칸에 알맞은 수를 써넣으세요.

초가 ☐ 개 있는데 파란색 초가 ☐ 개이므로 초록색 초는 ☐ 개입니다.

초가 ☐ 개 있는데 불이 붙은 초가 ☐ 개이므로 불이 꺼진 초는 ☐ 개입니다.

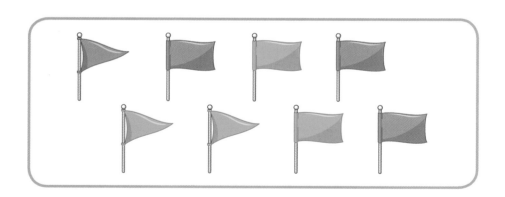

깃발이 ☐ 개 있는데 보라색 깃발이 ☐ 개이므로 빨간색 깃발은 ☐ 개입니다.

깃발이 ☐ 개 있는데 세모난 깃발이 ☐ 개이므로 네모난 깃발은 ☐ 개입니다.

3주차 여러 가지 가르기

11 _일 같게, 하나 더 많게 가르기

📘 똑같이 둘로 묶고 같게 가르기를 해 보세요.

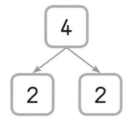

4를 똑같이 둘로 가르기 하면
2와 2로 가르기 할 수 있습니다.

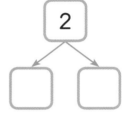

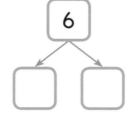

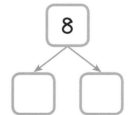

🟦 ☐보다 ☐에 하나 더 많게 가르기를 해 보세요.

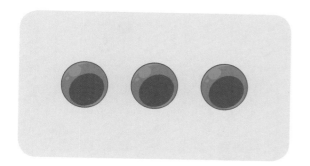

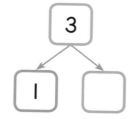

3을 한쪽이 하나 더 많도록 가르기 하면
1과 2로 가르기 할 수 있습니다.

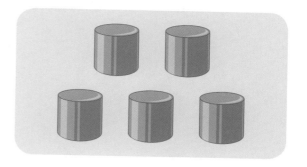

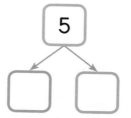

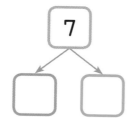

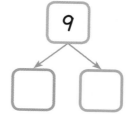

12 많게 가르기

🚩 ▢보다 ▢에 더 많게 여러 가지 방법으로 가르기를 해 보세요.

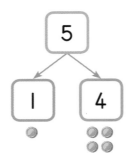

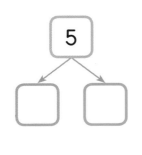

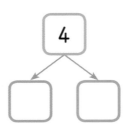

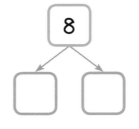

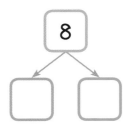

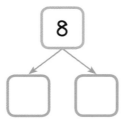

📚 ☐보다 ☐에 더 많게 여러 가지 방법으로 가르기를 해 보세요.

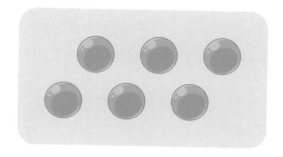

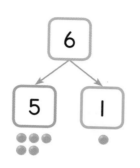

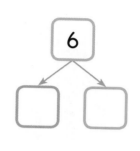

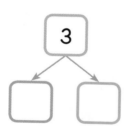

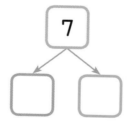

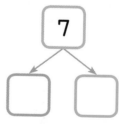

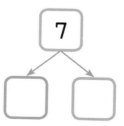

두 가지 가르기

🔹 그림을 보고 두 가지 방법으로 가르기를 해 보세요.

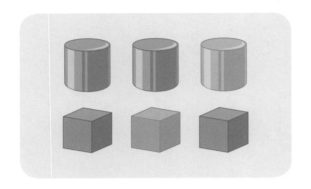

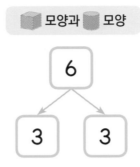

🔲 모양과 🛢 모양

```
   6
  ╱ ╲
 3   3
```

빨간색과 파란색

```
   6
  ╱ ╲
 □   □
```

바구니 안과 밖

```
   7
  ╱ ╲
 □   □
```

빨간색과 초록색

```
   7
  ╱ ╲
 □   □
```

연두색과 파란색

```
   8
  ╱ ╲
 □   □
```

펼친 우산과 접은 우산

```
   8
  ╱ ╲
 □   □
```

그림을 보고 두 가지 방법으로 가르기를 해 보세요.

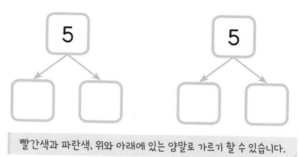

빨간색과 파란색, 위와 아래에 있는 양말로 가르기 할 수 있습니다.

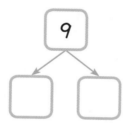

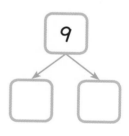

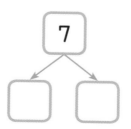

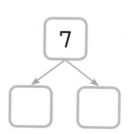

2, 3, 4, 5, 6 가르기

📓 2, 3, 4를 가르기를 해 보세요.

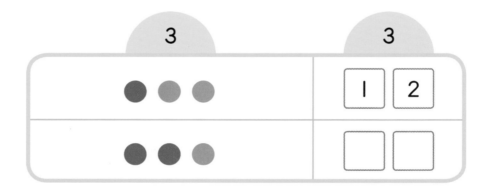

4는 1과 3, 2와 2, 3과 1로 가르기 할 수 있습니다.

5와 6을 가르기를 해 보세요.

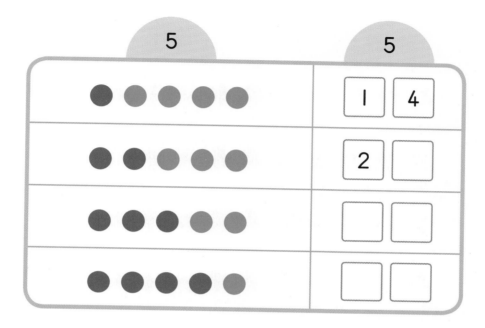

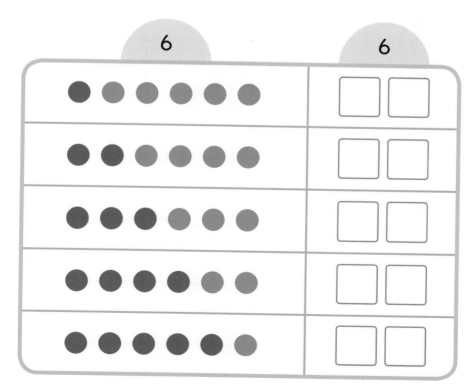

15 7, 8, 9 가르기

🔷 7을 가르기를 해 보세요.

7	7
●●●●●●●	1 6
●●●●●●●	☐ ☐
●●●●●●●	☐ ☐
●●●●●●●	☐ ☐
●●●●●●●	☐ ☐
●●●●●●●	☐ ☐

7은 1과 6, 2와 5, 3과 4, 4와 3, 5와 2, 6과 1로 가르기 할 수 있습니다.

8을 가르기를 해 보세요.

8		8	
● ● ● ● ● ● ● ●		☐	☐
● ● ● ● ● ● ● ●		☐	☐
● ● ● ● ● ● ● ●		☐	☐
● ● ● ● ● ● ● ●		☐	☐
● ● ● ● ● ● ● ●		☐	☐
● ● ● ● ● ● ● ●		☐	☐
● ● ● ● ● ● ● ●		☐	☐

수를 가르기 할 때 한쪽의 수를 하나씩 늘이면 나머지 수는 하나씩 줄어듭니다.

🔖 9를 가르기를 해 보세요.

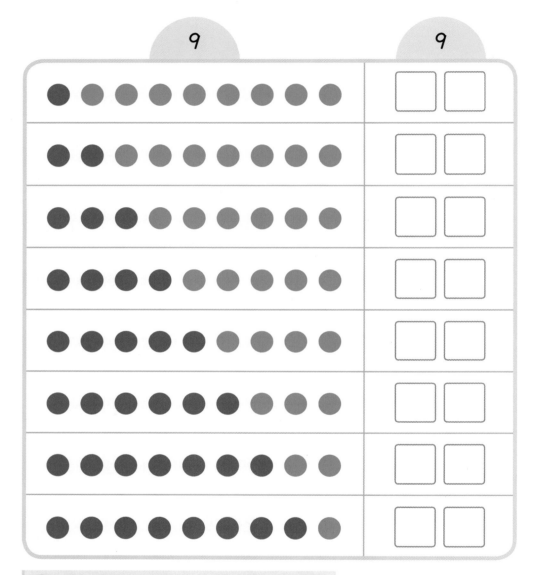

9를 1과 8로 가르기 하고, 8과 1로 가르기 하는 것은 순서만 바꾼 것입니다.

그려서 모으기

○를 그려 모으기를 해 보세요.

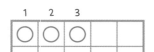
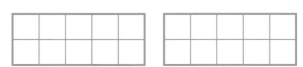

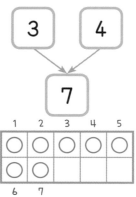
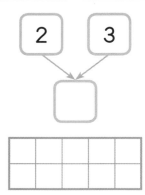

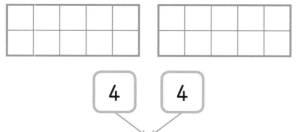
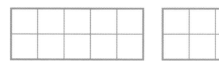

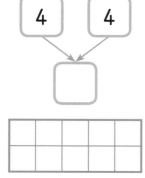
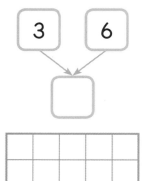

○를 그려 모으기를 해 보세요.

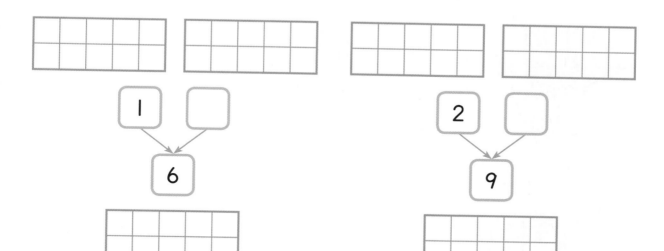

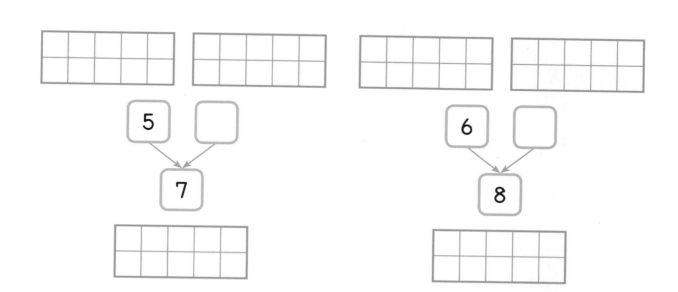

수 모으기

🟦 모으기를 해 보세요.

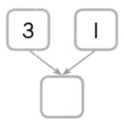

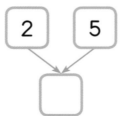

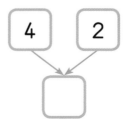

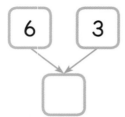

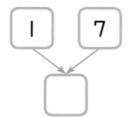

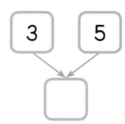

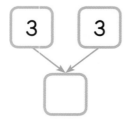

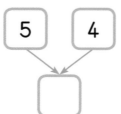

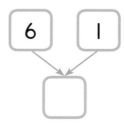

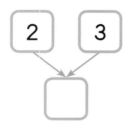

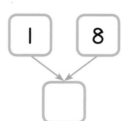

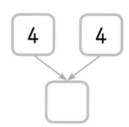

■ 모으기를 해 보세요.

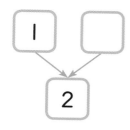

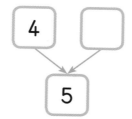

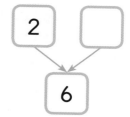

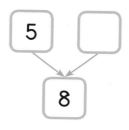

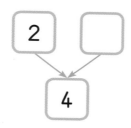

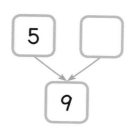

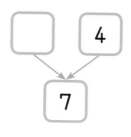

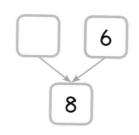

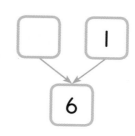

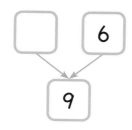

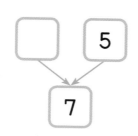

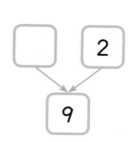

그려서 가르기

○를 그려 가르기를 해 보세요.

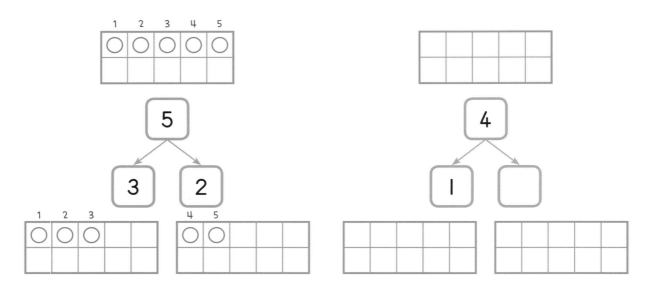

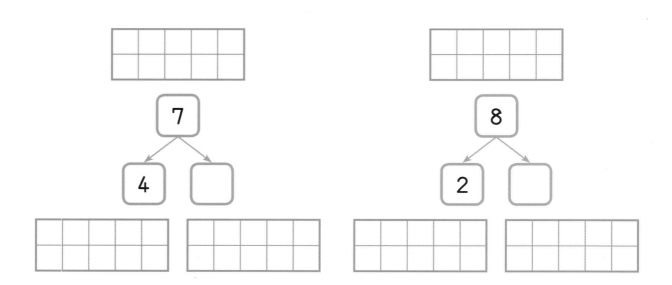

○를 그려 가르기를 해 보세요.

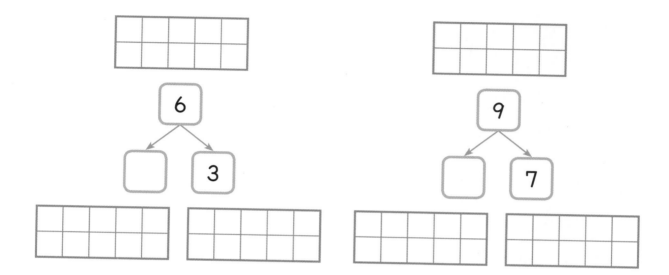

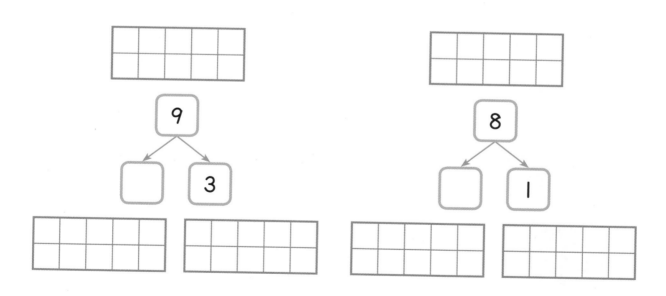

19 수 가르기

🔖 가르기를 해 보세요.

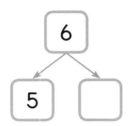

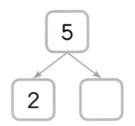

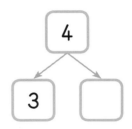

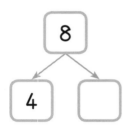

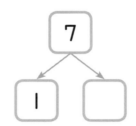

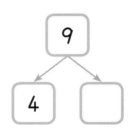

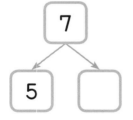

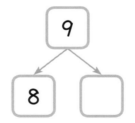

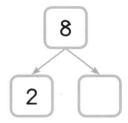

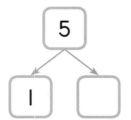

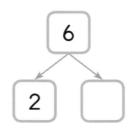

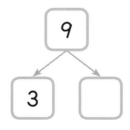

🟦 가르기를 해 보세요.

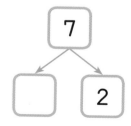

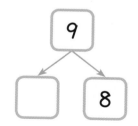

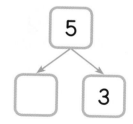

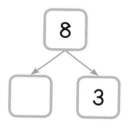

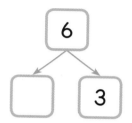

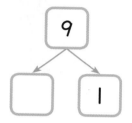

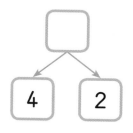

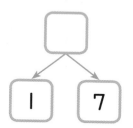

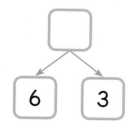

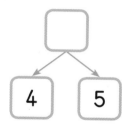

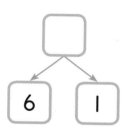

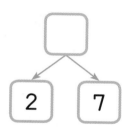

수 모으기와 가르기

수를 모으기 하여 ⬤ 안의 수가 되도록 이어 보세요.

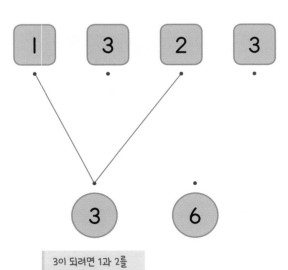

3이 되려면 1과 2를 모으기 해야 합니다.

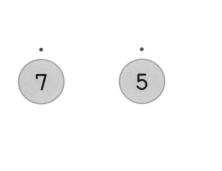

■ ● 안의 수를 가르기 합니다. 알맞게 이어 보세요.

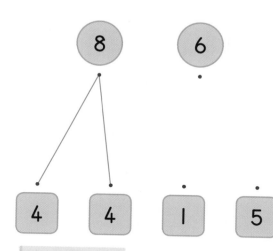

8은 4와 4로 가르기
할 수 있습니다.

■ 두 수를 골라 모으기 하고 두 수로 가르기 합니다. 알맞게 이어 보세요.

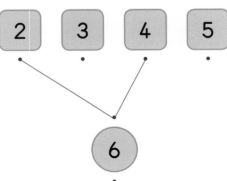

모으기 하여 6이 되는 두 수와 6을 가르기 한 두 수를 찾습니다.

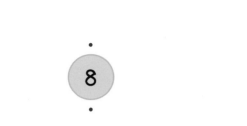

5주차   수 모으기와 가르기 (2)

위와 아래로 가르기와 모으기를 합니다. 빈칸에 알맞은 수를 써넣으세요.

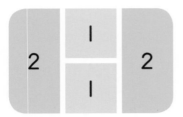

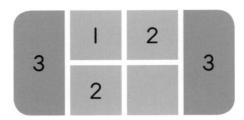

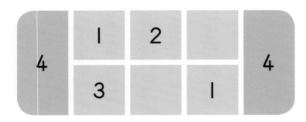

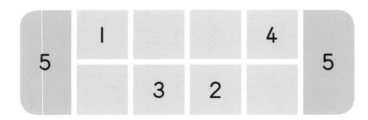

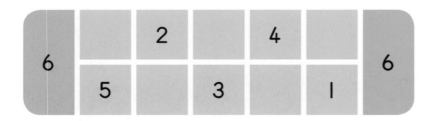

📘 위와 아래로 가르기와 모으기를 합니다. 빈칸에 알맞은 수를 써넣으세요.

7	1	2	3				7
				3	2	1	

8	1		3		5		7	8
		6		4		2		

9	1	2					7	8	9
			6	5	4	3			

가로, 세로로 모으기를 하여 ⬤ 안의 수가 되도록 두 수를 묶어 보세요.

5

1	4
2	2

8

3	4
5	6

9

3	5
7	2

4

1	2
4	2

6

5	3
2	4

7

3	4
5	1

8

4	2
3	6

9

8	4
1	6

가로, 세로로 모으기를 하여 🔘 안의 수가 되도록 두 수를 모두 묶어 보세요.

7

3	3	1
4	2	6
1	5	4

6

5	3	6
2	3	2
1	5	4

8

7	2	5
1	4	3
6	4	1

8

4	3	1
2	6	7
7	3	5

9

8	1	7
3	7	5
4	2	4

9

1	2	7
6	4	5
3	8	3

23일 가르기 하고 모으기

빈칸에 알맞은 수를 써넣으세요.

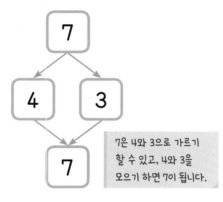

7은 4와 3으로 가르기
할 수 있고, 4와 3을
모으기 하면 7이 됩니다.

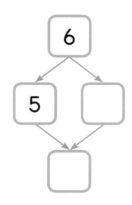

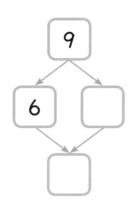

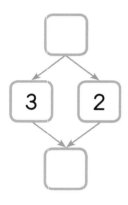

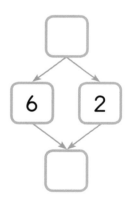

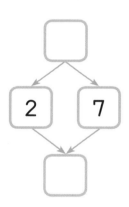

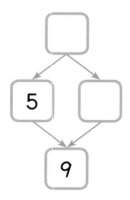

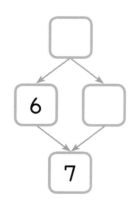

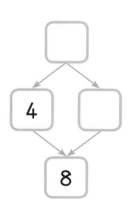

■ 빈칸에 알맞은 수를 써넣으세요.

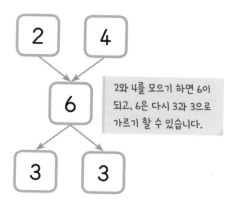

2와 4를 모으기 하면 6이 되고, 6은 다시 3과 3으로 가르기 할 수 있습니다.

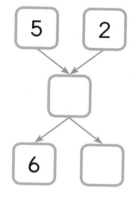

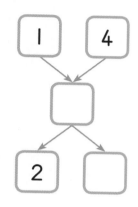

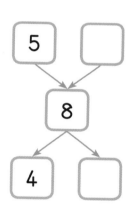

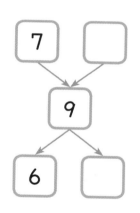

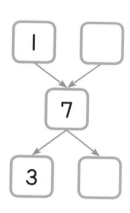

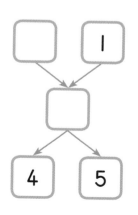

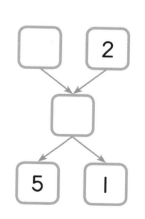

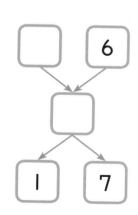

두 번 모으기와 가르기

🟦 빈칸에 알맞은 수를 써넣으세요.

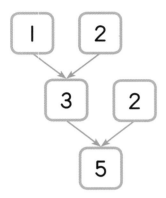

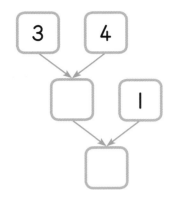

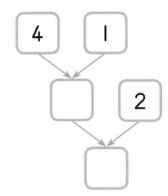

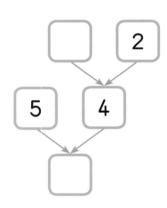

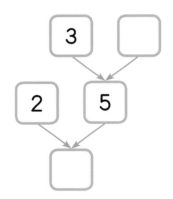

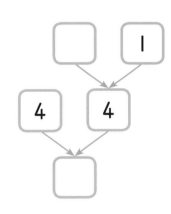

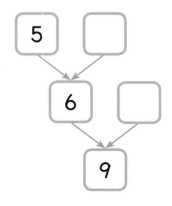

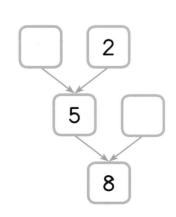

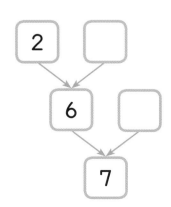

빈칸에 알맞은 수를 써넣으세요.

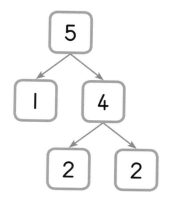

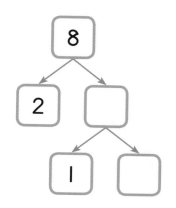

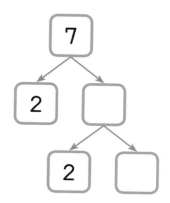

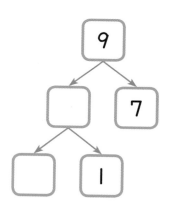

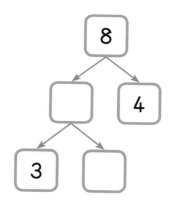

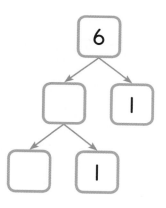

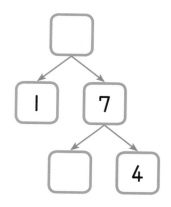

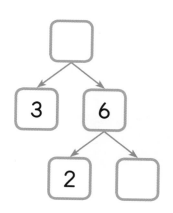

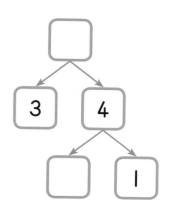

이야기하기

🗂 물음에 답하세요.

구슬 5개가 양손에 나누어져 있습니다. 오른손에 있는 구슬은 몇 개일까요?

5는 2와 몇으로 가르기
할 수 있을까요?

☐ 개

구슬 7개가 양손에 나누어져 있습니다. 왼손에 있는 구슬은 몇 개일까요?

☐ 개

구슬 9개를 상자에 담았습니다. 2개를 꺼내면 상자 안에는 구슬 몇 개가 남을까요?

☐ 개

🗂 물음에 답하세요.

승아는 색종이를 **3**장 가지고 있고 준우는 **5**장 가지고 있습니다.
두 사람이 가진 색종이를 모으면 몇 장일까요?

☐ 장

3과 5를 모으기 하면 8이 됩니다.

동물원에 흰색 말이 **4**마리, 갈색 말이 **2**마리 있습니다. 동물원에
있는 말을 모으면 몇 마리일까요?

☐ 마리

사탕 **9**개를 수호와 지아가 나누어 가집니다. 수호가 **5**개를 가지
면 지아는 몇 개를 가지게 될까요?

☐ 개

7명의 학생들이 교실과 강당으로 나누어 갑니다. 교실로 간 학생
이 **6**명이라면 강당으로 간 학생은 몇 명일까요?

☐ 명

물음에 답하세요.

사탕 6개를 주원이와 예지가 똑같이 나누어 가집니다. 주원이는 사탕 몇 개를 가질까요?

⬜ 개

색연필 8자루를 신지와 민하가 똑같이 나누어 가집니다. 민하는 색연필 몇 자루를 가질까요?

⬜ 자루

구슬 5개를 형과 동생이 나누어 가집니다. 형이 동생보다 1개 더 많이 가진다면 동생은 구슬 몇 개를 가질까요?

⬜ 개

학생 9명이 박물관에 가려고 버스와 택시에 나누어 탔습니다. 버스에 탄 학생이 택시보다 1명 더 많다면 버스에 탄 학생은 몇 명일까요?

⬜ 명

교과 연산

정답

7세~초1

P 1

모으기와 가르기

에듀히어로
Edu HERO

정답

8·9쪽

01 그림 모으기 (1)

📖 그림을 보고 모으기를 해 보세요.

📖 그림을 보고 모으기를 해 보세요.

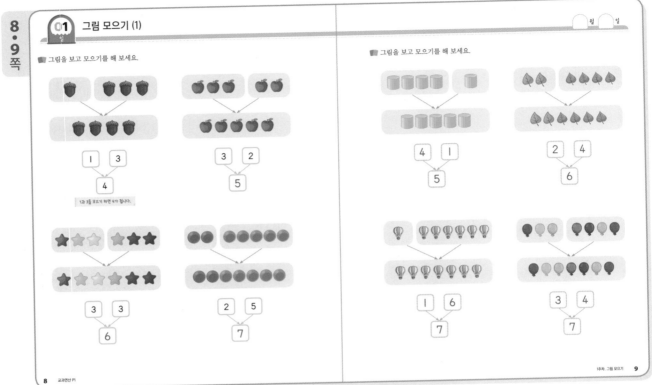

10·11쪽

02 그림 모으기 (2)

📖 그림을 보고 모으기를 해 보세요.

📖 그림을 보고 모으기를 해 보세요.

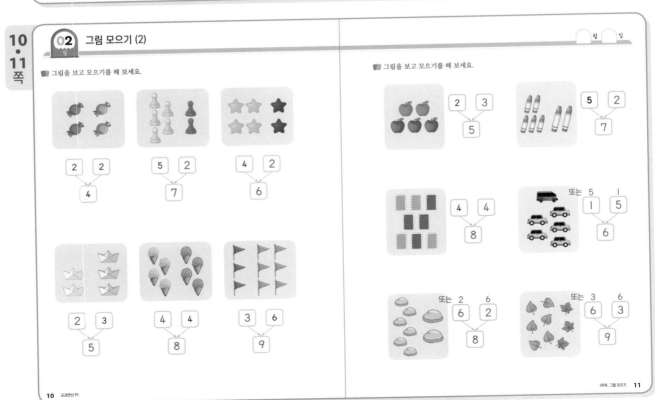

03 점 모으기

📖 모으기를 해 보세요.

📖 모으기를 해 보세요.

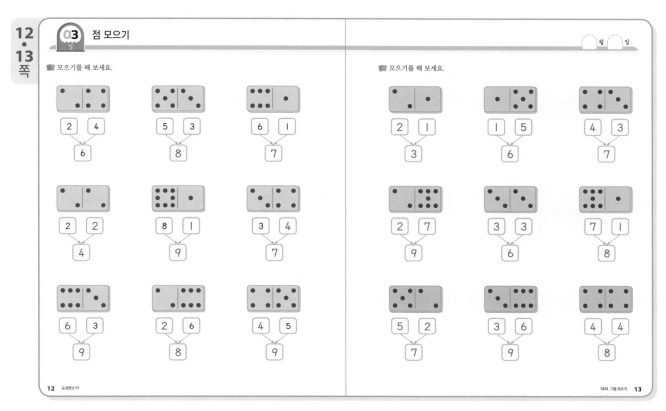

04 점 모아 수 만들기

📖 점을 모으기 하여 ◯ 안의 수가 되도록 이어 보세요.

📖 모으기 하여 ◯ 안의 수가 되도록 이어 보세요.

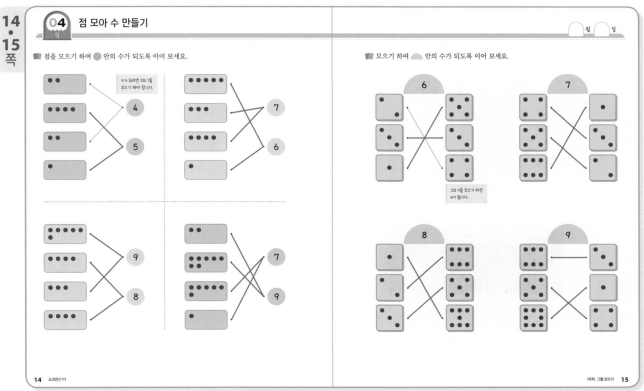

정답

  이야기하기

월 일

📖 그림을 보고 빈칸에 알맞은 수를 써넣으세요.

나뭇가지에 참새 4마리가 있는데 **2** 마리
더 날아와서 **6** 마리가 되었습니다.

4와 2를 모으기 하면 6이 됩니다.

빨간색 사과가 2개, 초록색 사과가 **5** 개
있어서 사과는 모두 **7** 개입니다.

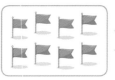

초록색 깃발이 3개, 파란색 깃발이 **5** 개
있어서 깃발은 모두 **8** 개입니다.

📖 그림을 보고 빈칸에 알맞은 수를 써넣으세요.

축구공이 **3** 개, 농구공이 **4** 개
있어서 공은 모두 **7** 개입니다.

왼쪽 접시에 밤이 **3** 개, 오른쪽 접시에
밤이 **6** 개 있어서 밤은 모두 **9** 개
입니다.

왼손에 펼친 손가락이 **1** 개,
오른손에 펼친 손가락이 **4** 개이므로
펼친 손가락은 모두 **5** 개입니다.

16 교과연산 P1

1주차. 그림 모으기 17

📖 그림을 보고 빈칸에 알맞은 수를 써넣으세요.

연두색 우산이 **6** 개, 파란색 우산이 **3** 개 있어서 우산은 모두 **9** 개입니다.

펼친 우산이 **5** 개, 접은 우산이 **4** 개 있어서 우산은 모두 **9** 개입니다.

주황색 자동차가 **4** 대, 파란색 자동차가 **4** 대이므로 자동차는 모두 **8** 대입니다.

주차된 자동차가 **5** 대, 들어오는 자동차가 **3** 대이므로 자동차는 모두 **8** 대입니다.

18 교과연산 P1

06 그림 가르기 (1)

월 일

그림을 보고 가르기를 해 보세요.

그림을 보고 가르기를 해 보세요.

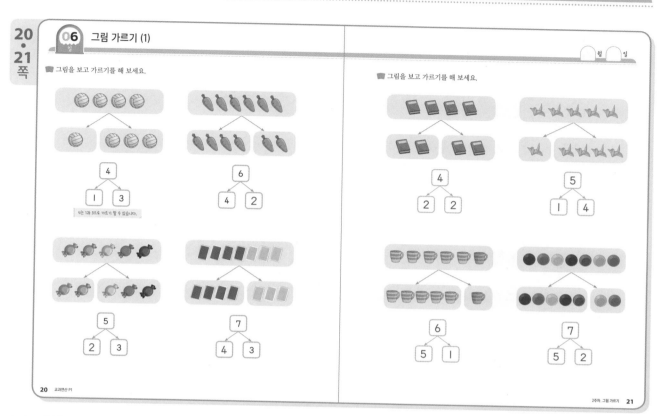

나는 1과 3으로 가르기 할 수 있습니다.

07 그림 가르기 (2)

월 일

그림을 보고 가르기를 해 보세요.

그림을 보고 가르기를 해 보세요.

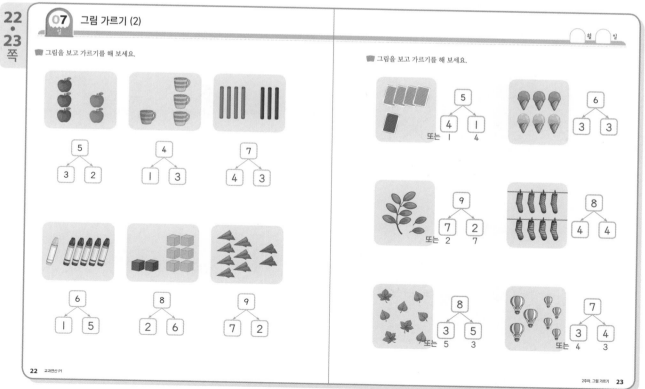

정답 5

24
•
25
쪽

08 점 가르기

월 일

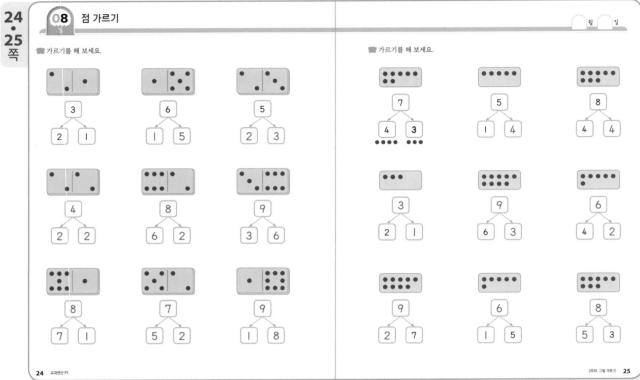

26
•
27
쪽

09 수를 점으로 가르기

월 일

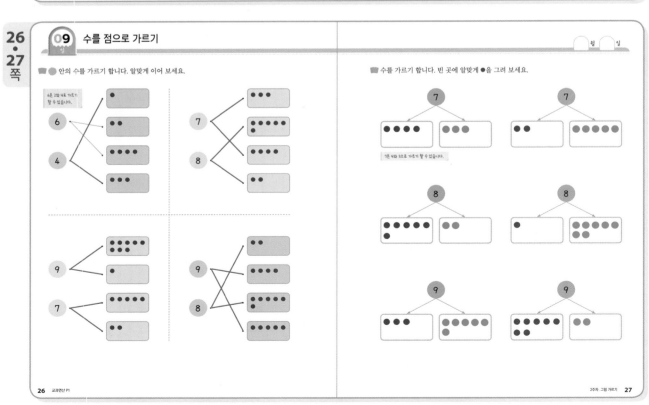

10 이야기하기

그림을 보고 빈칸에 알맞은 수를 써넣으세요.

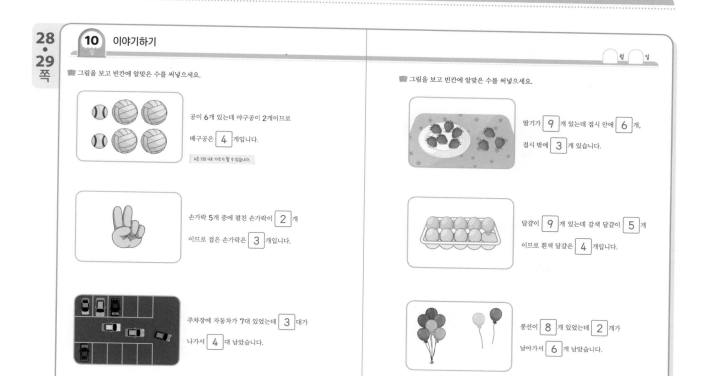

공이 6개 있는데 야구공이 2개이므로
배구공은 4 개입니다.

6은 2와 4로 가르기 할 수 있습니다.

손가락 5개 중에 펼친 손가락이 2 개
이므로 접은 손가락은 3 개입니다.

주차장에 자동차가 7대 있었는데 3 대가
나가서 4 대 남았습니다.

그림을 보고 빈칸에 알맞은 수를 써넣으세요.

딸기가 9 개 있는데 접시 안에 6 개,
접시 밖에 3 개 있습니다.

달걀이 9 개 있는데 갈색 달걀이 5 개
이므로 흰색 달걀은 4 개입니다.

풍선이 8 개 있었는데 2 개가
날아가서 6 개 남았습니다.

그림을 보고 빈칸에 알맞은 수를 써넣으세요.

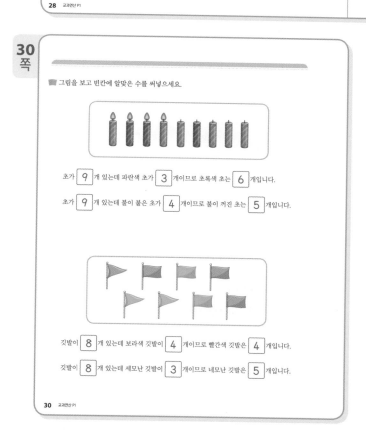

초가 9 개 있는데 파란색 초가 3 개이므로 초록색 초는 6 개입니다.

초가 9 개 있는데 불이 붙은 초가 4 개이므로 불이 꺼진 초는 5 개입니다.

깃발이 8 개 있는데 보라색 깃발이 4 개이므로 빨간색 깃발은 4 개입니다.

깃발이 8 개 있는데 세모난 깃발이 3 개이므로 네모난 깃발은 5 개입니다.

정답

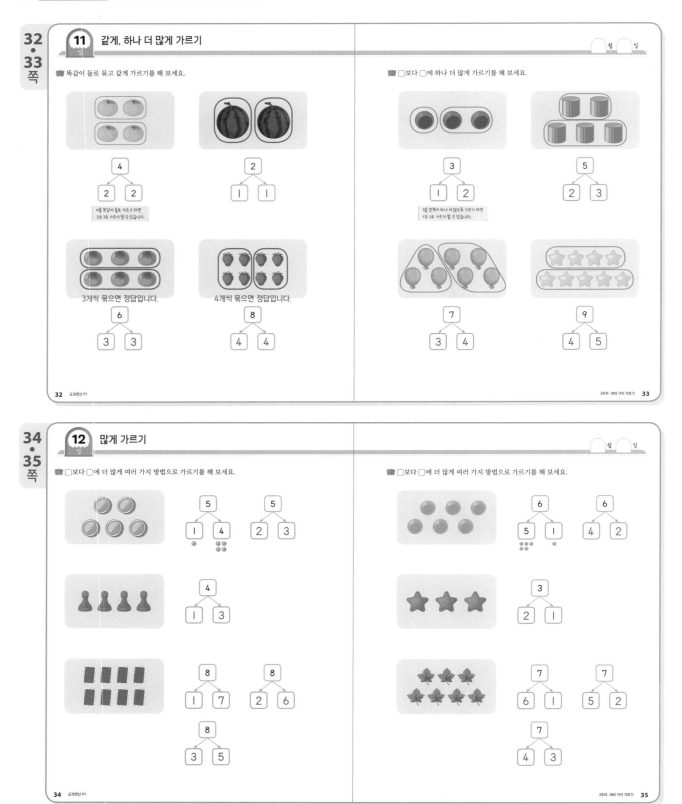

11 같게, 하나 더 많게 가르기

똑같이 둘로 묶고 같게 가르기를 해 보세요.

4 → 2, 2

네를 똑같이 둘로 가르기 하면 2와 2로 가르기 할 수 있습니다.

2 → 1, 1

3개씩 묶으면 정답입니다.

6 → 3, 3

4개씩 묶으면 정답입니다.

8 → 4, 4

□보다 □에 하나 더 많게 가르기를 해 보세요.

3 → 1, 2

3을 한쪽이 하나 더 많도록 가르기 하면 1과 2로 가르기 할 수 있습니다.

5 → 2, 3

7 → 3, 4

9 → 4, 5

12 많게 가르기

□보다 □에 더 많게 여러 가지 방법으로 가르기를 해 보세요.

5 → 1, 4
5 → 2, 3

4 → 1, 3

8 → 1, 7
8 → 2, 6
8 → 3, 5

□보다 □에 더 많게 여러 가지 방법으로 가르기를 해 보세요.

6 → 5, 1
6 → 4, 2

3 → 2, 1

7 → 6, 1
7 → 5, 2
7 → 4, 3

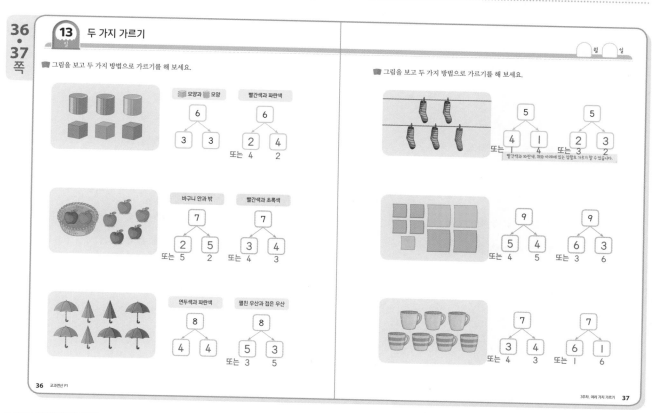

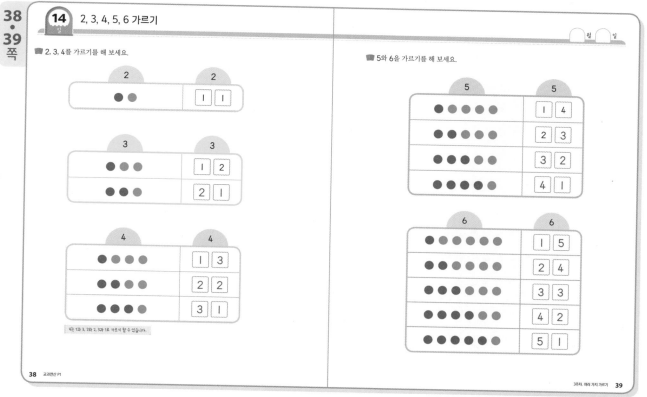

정답

15 7, 8, 9 가르기

철 일

■ 7을 가르기를 해 보세요.

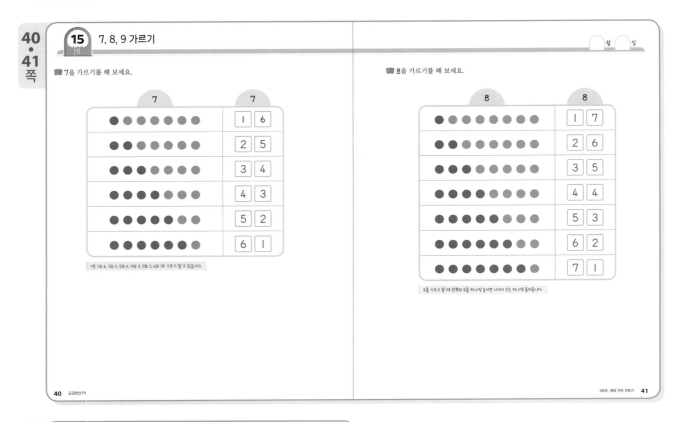

7		7	
● ● ● ● ● ● ●		1	6
● ● ● ● ● ● ●		2	5
● ● ● ● ● ● ●		3	4
● ● ● ● ● ● ●		4	3
● ● ● ● ● ● ●		5	2
● ● ● ● ● ● ●		6	1

7은 1과 6, 2와 5, 3과 4, 4와 3, 5와 2, 6과 1로 가르기 할 수 있습니다.

■ 8을 가르기를 해 보세요.

8		8	
● ● ● ● ● ● ● ●		1	7
● ● ● ● ● ● ● ●		2	6
● ● ● ● ● ● ● ●		3	5
● ● ● ● ● ● ● ●		4	4
● ● ● ● ● ● ● ●		5	3
● ● ● ● ● ● ● ●		6	2
● ● ● ● ● ● ● ●		7	1

수를 가르기 할 때 한쪽의 수를 하나씩 늘이면 나머지 수는 하나씩 줄어듭니다.

■ 9를 가르기를 해 보세요.

9		9	
● ● ● ● ● ● ● ● ●		1	8
● ● ● ● ● ● ● ● ●		2	7
● ● ● ● ● ● ● ● ●		3	6
● ● ● ● ● ● ● ● ●		4	5
● ● ● ● ● ● ● ● ●		5	4
● ● ● ● ● ● ● ● ●		6	3
● ● ● ● ● ● ● ● ●		7	2
● ● ● ● ● ● ● ● ●		8	1

9를 1과 8로 가르기 하고, 8과 1로 가르기 하는 것은 순서만 바꾼 것입니다.

16 그려서 모으기

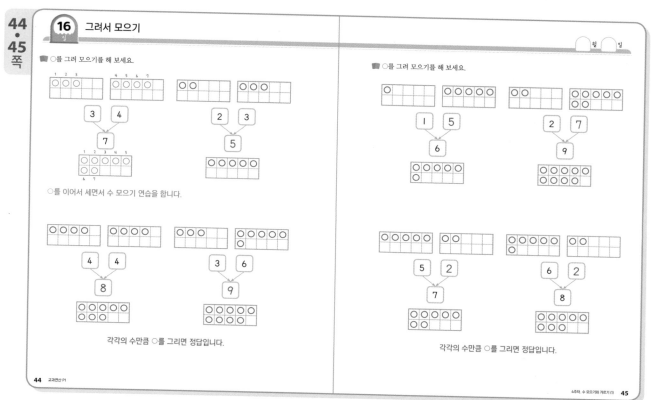

17 수 모으기

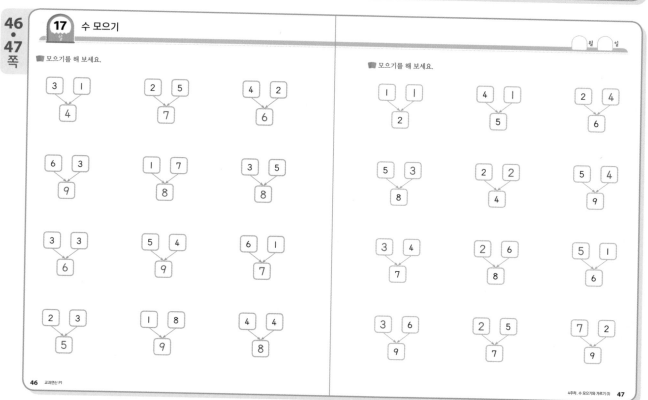

18 그려서 가르기

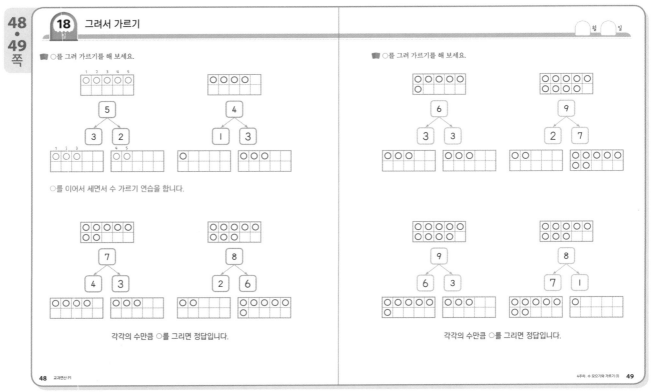

○를 그려 가르기를 해 보세요.

○를 이어서 세면서 수 가르기 연습을 합니다.

각각의 수만큼 ○를 그리면 정답입니다.

각각의 수만큼 ○를 그리면 정답입니다.

19 수 가르기

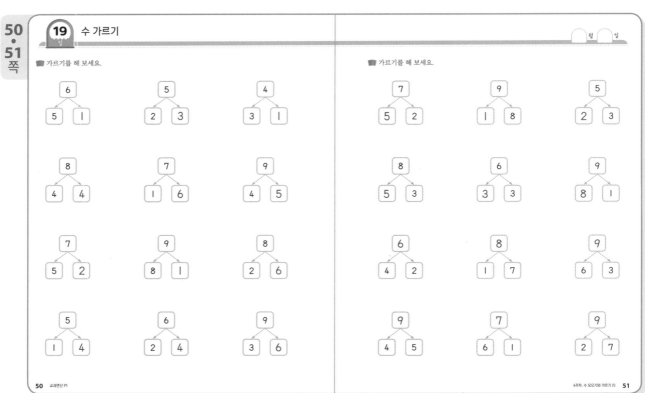

가르기를 해 보세요.

가르기를 해 보세요.

20 수 모으기와 가르기

■ 수를 모으기 하여 ● 안의 수가 되도록 이어 보세요.

■ ● 안의 수를 가르기 합니다. 알맞게 이어 보세요.

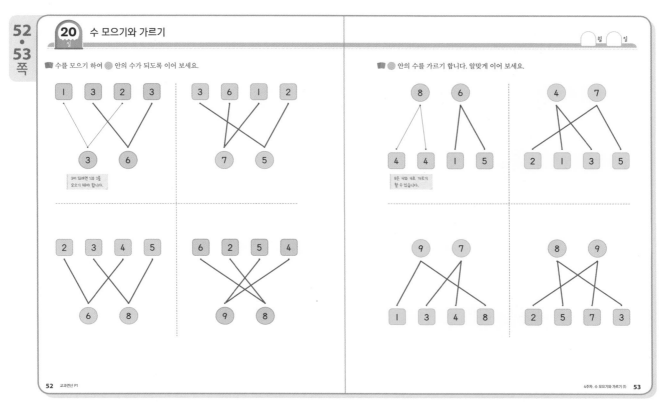

3이 되려면 1과 2를 모으기 해야 합니다.

8은 4와 4로 가르기 할 수 있습니다.

■ 두 수를 골라 모으기 하고 두 수로 가르기 합니다. 알맞게 이어 보세요.

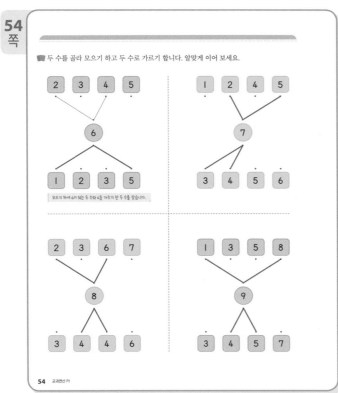

모으기 하여 6이 되는 두 수와 6을 가르기 한 두 수를 찾습니다.

정답

21 여러 가지 모으기와 가르기

월 일

■ 위와 아래로 가르기와 모으기를 합니다. 빈칸에 알맞은 수를 써넣으세요.

■ 위와 아래로 가르기와 모으기를 합니다. 빈칸에 알맞은 수를 써넣으세요.

| 2 | 1 | 2 |
| 2 | 1 | |

| 3 | 1 | 2 | 3 |
| | 2 | 1 | |

| 4 | 1 | 2 | 3 | 4 |
| | 3 | 2 | 1 | |

| 5 | 1 | 2 | 3 | 4 | 5 |
| | 4 | 3 | 2 | 1 | |

| 6 | 1 | 2 | 3 | 4 | 5 | 6 |
| | 5 | 4 | 3 | 2 | 1 | |

| 7 | 1 | 2 | 3 | 4 | 5 | 6 | 7 |
| | 6 | 5 | 4 | 3 | 2 | 1 | |

| 8 | 1 | 2 | 3 | 4 | 5 | 6 | 7 | 8 |
| | 7 | 6 | 5 | 4 | 3 | 2 | 1 | |

| 9 | 1 | 2 | 3 | 4 | 5 | 6 | 7 | 8 | 9 |
| | 8 | 7 | 6 | 5 | 4 | 3 | 2 | 1 | |

56 교과연산 P1

5주차. 수 모으기와 가르기 (2) 57

22 두 수 모으기

월 일

■ 가로, 세로로 모으기를 하여 ● 안의 수가 되도록 두 수를 묶어 보세요.

■ 가로, 세로로 모으기를 하여 ● 안의 수가 되도록 두 수를 모두 묶어 보세요.

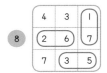

58 교과연산 P1

5주차. 수 모으기와 가르기 (2) 59

14 교과연산 P1

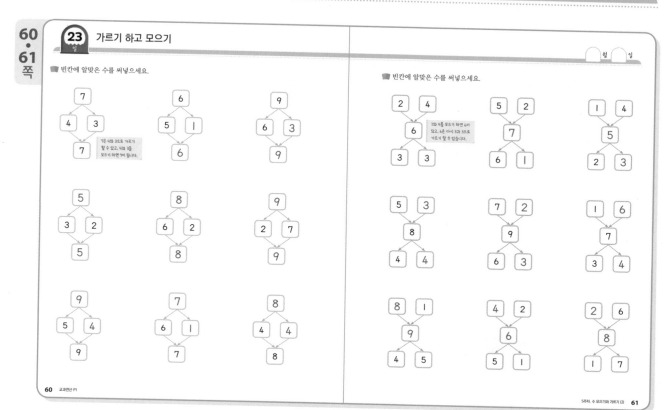

60·61쪽

23 가르기 하고 모으기

빈칸에 알맞은 수를 써넣으세요.

빈칸에 알맞은 수를 써넣으세요.

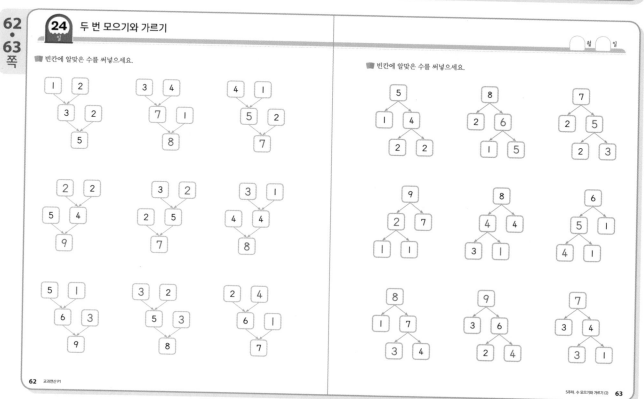

62·63쪽

24 두 번 모으기와 가르기

빈칸에 알맞은 수를 써넣으세요.

빈칸에 알맞은 수를 써넣으세요.

64·65쪽

25 이야기하기

월 일

■ 물음에 답하세요.

구슬 5개가 양손에 나누어져 있습니다. 오른손에 있는 구슬은 몇 개일까요?

또는 2장, 몇으로 가르기 할 수 있을까요?

5
2 3   **3** 개
왼손 오른손

구슬 7개가 양손에 나누어져 있습니다. 왼손에 있는 구슬은 몇 개일까요?

7
4 3   **4** 개
왼손 오른손

구슬 9개를 상자에 담았습니다. 2개를 꺼내면 상자 안에는 구슬 몇 개가 남을까요?

9
7 2   **7** 개
안 밖

■ 물음에 답하세요.

승아는 색종이를 3장 가지고 있고 준우는 5장 가지고 있습니다. 두 사람이 가진 색종이를 모으면 몇 장일까요?

3과 5를 모으면 8이 됩니다.

승아 3 5 준우
8   **8** 장

동물원에 흰색 말이 4마리, 갈색 말이 2마리 있습니다. 동물원에 있는 말을 모으면 몇 마리일까요?

흰색 4 2 갈색
6   **6** 마리

사탕 9개를 수호와 지아가 나누어 가집니다. 수호가 5개를 가지면 지아는 몇 개를 가지게 될까요?

9
수호 5 4 지아   **4** 개

7명의 학생들이 교실과 강당으로 나누어 갑니다. 교실로 간 학생이 6명이라면 강당으로 간 학생은 몇 명일까요?

7
교실 6 1 강당   **1** 명

66쪽

■ 물음에 답하세요.

사탕 6개를 주원이와 예지가 똑같이 나누어 가집니다. 주원이는 사탕 몇 개를 가질까요?

6
주원 3 3 예지   **3** 개

색연필 8자루를 신지와 민하가 똑같이 나누어 가집니다. 민하는 색연필 몇 자루를 가질까요?

8
신지 4 4 민하   **4** 자루

구슬 5개를 형과 동생이 나누어 가집니다. 형이 동생보다 1개 더 많이 가진다면 동생은 구슬 몇 개를 가질까요?

5
형 3 2 동생   **2** 개

학생 9명이 박물관에 가려고 버스와 택시에 나누어 탔습니다. 버스에 탄 학생이 택시보다 1명 더 많다면 버스에 탄 학생은 몇 명일까요?

9
버스 5 4 택시   **5** 명

하루 한 장 75일
집중 완성

교과
연산

"연산을 이해하려면 수를 먼저 이해해야 합니다."

"계산은 문제를 해결하는 하나의 과정입니다."

"교과연산은 상황을 판단하는 능력을 길러줍니다."